Ce que tu as fait me remplit de joie

Mame / ebv

Fais-moi voir
ta lumière et ta vérité.
Qu'elles me guident
vers ta montagne sainte,
qu'elles me conduisent
à ta demeure!

Alors je m'approcherai
de ton autel,
de toi-même,
ô Dieu ma plus grande joie.

Je prendrai ma guitare
pour te louer,
toi qui es mon Dieu!

Psaume 43

Que ta gloire, Seigneur,
dure toujours !
Réjouis-toi, ô Dieu,
de ce que tu as fait !

Je veux te chanter
toute ma vie ;
mon Dieu, je te louerai
tant que j'existerai.

Que mon poème te plaise,
Seigneur ;
moi, je suis si heureux
de t'avoir comme Dieu !

Psaume 104

Ah, que je voudrais voir
le salut d'Israël,
arrivant de Sion!

Le Seigneur
changera le sort
de son peuple.
Quelle joie
chez les descendants de Jacob,
quelle allégresse alors
en Israël!

Psaume 14

La pierre
dont les maçons ne voulaient pas
est maintenant la principale,
la pierre du sommet.
Cela vient du Seigneur;
pour nous, c'est un miracle.

Ce jour de fête
est l'œuvre du Seigneur;
crions notre joie,
soyons dans l'allégresse.

«Ah, Seigneur, viens à notre aide!
Ah, Seigneur, donne-nous la victoire!»

Psaume 118

Je n'ai de bonheur que près de toi.

Tu me fais savoir
quel chemin mène à la vie.

On trouve une joie entière
en ta présence,
un plaisir éternel
à tes côtés.

Psaume 16

Quant à ceux qui ont recours à toi,
qu'ils se réjouissent,
qu'ils crient leur joie pour toujours;
qu'ils chantent victoire à cause de toi,
tous ceux qui t'aiment!
Tu es un abri pour eux.

Toi, Seigneur,
tu fais du bien aux fidèles;
ta bienveillance
est comme un bouclier
qui les protège.

Psaume 5

Annonce-moi ton pardon,
il m'inondera de joie.
Que je sois en fête,
moi que tu as brisé!
Détourne ton regard de mes fautes,
efface tous mes péchés.

Dieu, crée en moi un cœur pur;
renouvelle et affermis mon esprit.
Ne me rejette pas loin de toi,
ne me prive pas de ton Saint-Esprit.

Rends-moi la joie d'être sauvé,
soutiens-moi
par ton Esprit généreux.

Psaume 51

Heureux celui
que Dieu décharge de sa faute,
et qui est pardonné
du mal qu'il a commis!

Heureux l'homme
que le Seigneur
ne traite pas en coupable,
et qui est exempt
de toute mauvaise foi!

Psaume 32

Mon Dieu,
je chanterai ta fidélité;

je te célébrerai
aux accords de la lyre,
toi le Dieu d'Israël.

Je te glorifierai par ma musique,
mes lèvres t'acclameront
de m'avoir libéré.

Psaume 71

Tu as changé ma plainte
en danse de joie,
tu m'as ôté mon vêtement de deuil,
tu l'as remplacé par un habit de fête.

Alors, de tout mon cœur
je n'en finirai pas
de te glorifier.

Seigneur mon Dieu,
je te louerai toujours.

Psaume 30

Criez votre joie à Dieu,
notre protecteur,
acclamez le Dieu de Jacob.

Faites donner la musique,
allez-y pour les tambourins,
la lyre d'harmonie et la harpe!

Psaume 81

Une lumière brille
pour qui est loyal,
il y a de la joie
pour les cœurs droits.

Vous qui vivez dans la loyauté,
réjouissez-vous
à cause du Seigneur,
et louez-le
en rappelant qu'il est saint.

Psaume 97

Toute ma vie
je te remercierai;
en levant les mains
je dirai qui tu es.

Je serai comblé,
comme rassasié
des meilleurs morceaux.
Je laisserai exploser ma joie,
je te glorifierai.

Psaume 63

Acclamez le Seigneur,
vous les fidèles;
hommes droits,
le louer est votre privilège.

Louez le Seigneur
au son de la lyre,
célébrez-le
sur la harpe à dix cordes.

Chantez en son honneur
un chant nouveau,
faites la plus belle musique
en l'acclamant.

Psaume 33

Suivre tes ordres me réjouit
comme une immense richesse.

Je veux méditer
ce que tu as commandé
et bien regarder
la voie que tu me traces.

Je suis ravi
de suivre tes directives,
je n'oublierai pas
ta parole.

Psaume 119

Le Seigneur est roi,
que la terre entière
s'émerveille,
que tous les peuples lointains
se réjouissent!

Psaume 97

Louez le Seigneur,
dites bien haut
qui est Dieu.

Soyez fier de lui,
le Dieu saint,
ayez le cœur en joie,
fidèles du Seigneur.

Tournez-vous
vers le Seigneur tout-puissant,
cherchez continuellement
sa présence.

Psaume 105

Gens du monde entier,
acclamez le Seigneur.
Offrez-lui un culte joyeux,
présentez-vous devant lui
avec des cris de joie.

Sachez-le :
c'est le Seigneur qui est Dieu,
c'est lui qui nous a faits,
nous sommes à lui.
Nous sommes son peuple,
le troupeau
dont il est le berger.

Psaume 100

Merci au Seigneur
de m'avoir entendu
quand je le suppliais!

Le Seigneur me protège,
il est mon bouclier.

Du fond du cœur
je lui ai fait confiance;
j'ai reçu du secours,
j'ai le cœur en fête.
Je veux chanter
pour le louer.

Psaume 28

Comme on fait bien
de te louer, Seigneur,
et de te célébrer en chantant,
Dieu Très-Haut!
d'annoncer dès le matin
ta bonté,
et pendant la nuit
ta fidélité!

Ce que tu as fait, Seigneur,
m'a rempli de joie,
j'applaudis à ce que tu as réalisé.
Seigneur, que tes actions
sont grandioses
et tes pensées profondes!

Psaume 92

Le Seigneur
dresse la liste des peuples,
et note pour chacun d'eux :
«Sa vraie patrie est à Sion.»

O cité de Dieu,
chanteurs et danseurs
expriment tous ensemble
ta gloire.

Psaume 87

A Sion, quand le Seigneur
changea notre sort,
nous pensions rêver.

Notre bouche était pleine de rires,
notre langue exprimait la joie.

Chez les autres nations on disait :
«Le Seigneur a fait beaucoup
pour eux.»

Oui, le Seigneur
a fait beaucoup pour nous,
et nous étions tout heureux.

Psaume 126

Les textes de cet album ont été extraits des psaumes suivants:

Mini-album ebv n° 882

Photo de couverture: M. Ruckszio

Les photos de cet album ont été réalisées par:

3 W. Krebber
5 W. Krebber
7 W. Krebber
8 W. Krebber
10 E. Jorde
13 E. Jorde
15 W. Krebber
17 E. Schulz
19 G. Heubach
20 W. Krebber
22 M. Ruckszio
25 H. Berner
27 R. Kawohl
29 A. Albinger
30 RKW
32 W. Krebber
35 W. Krebber
36 M. Ruckszio
39 P. Rode
40 M. Ruckszio
42 W. Krebber
45 M. Ruckszio

ISBN 2 7289 0319 0 (Editions Mame, Paris)
ISBN 3 7655 7882 7 (Collection ebv, Bâle)

La série des mini-albums Mame/ebv comprend les titres suivants:

— Sur ton passage l'abondance ruisselle	ebv 881
— Ce que tu as fait me remplit de joie	ebv 882
— La terre est pleine de sa bonté	ebv 883
— Il a donné sa parole pour mille générations	ebv 884

Outre ces mini-albums, la collection ebv vous propose une autre série d'albums avec le texte complet des psaumes. Format 21,5 x 25,5 cm, 80 pages.

— Chants des cimes	ebv 812
— Chants des verts pâturages	ebv 813
— Chants des eaux profondes	ebv 814
— Chants des fleuves	ebv 815
— Chants du ciel et de la terre	ebv 816
— Chants des déserts	ebv 817
— Chants de la lumière	ebv 878